献给所有我曾经教过和正在教的幼儿园学生——你们每个人都用自己的笑容、热情和与众不同的天赋照亮了我的生活。

——詹妮弗 • 劳埃德

献给我儿时的玩伴——可爱的小保罗、卡米尔、海琳、克莱门特和莲。

——秦冷

詹妮弗·劳埃德，著有《一个冬季的夜晚》《寻找小笨蛋》《艾拉的雨伞》及《丛林侦探大猩猩莫瑞拉》，许多创作灵感来自她的幼儿园学生和她自己的两个孩子。曾获童书大奖。

秦冷，出生于中国上海，后移居法国和加拿大。目前居住在多伦多，在加拿大国家电影委员会、核心数码动画公司和优沃动画公司担任动画绘者和设计师。曾多次获奖。

著作权合同登记号　图字：01-2015-5942

图书在版编目（CIP）数据

幼儿园里我最棒 /（加）劳埃德著；（加）秦冷绘；徐辰译．—北京：北京科学技术出版社，2016.1（2018.4 重印）
ISBN 978-7-5304-8095-3

Ⅰ．①幼…　Ⅱ．①劳…　②秦…　③徐…　Ⅲ．①儿童文学－图画故事－加拿大－现代　Ⅳ．① I711.85

中国版本图书馆CIP数据核字(2015)第249704号

幼儿园里我最棒

作　　者：〔加〕詹妮弗·劳埃德
绘　　者：〔加〕秦　冷
译　　者：徐　辰
策划编辑：王　筝　蔡芸菲
责任编辑：郑京华
责任印制：张　良
出 版 人：曾庆宇
出版发行：北京科学技术出版社
社　　址：北京西直门南大街16号
邮政编码：100035
电话传真：0086-10-66135495（总编室）
0086-10-66113227（发行部）
0086-10-66161952（发行部传真）
电子信箱：bjkj@bjkjpress.com
网　　址：www.bkydw.cn
经　　销：新华书店
印　　刷：北京捷迅佳彩印刷有限公司
开　　本：787mm×1010mm　1/12
印　　张：3.5
版　　次：2016年1月第1版
印　　次：2018年4月第11次印刷
ISBN 978-7-5304-8095-3/I·422

定价：30.00元

幼儿园里我最棒

〔加〕詹妮弗·劳埃德◎著　〔加〕秦　冷◎绘　徐　辰◎译

北京科学技术出版社

今天是小朋友们最后一天上幼儿园。

大家正在准备参加毕业典礼。

艾波比老师自豪地看着孩子们。
他们自己动手制作了彩色的毕业帽……

……以及别具一格的小饰品。

他们已经会唱属于他们自己的毕业歌了。

“孩子们，来，坐在地毯上。”艾波比老师说，
“还有一点儿时间，我们最后玩一次‘猜猜看’游戏。”

她等着塔
碧莎戴好
帽子……

……又等着乔纳森
穿好鞋子。

然后她问道："谁来猜一猜幼儿园里最棒的是什么？"

塔碧莎大声说：“是分享时光！”

“你最会讲每天发生的事情了！”艾波比老师回答，“但是，分享时光还不是幼儿园里最棒的。”

SATURDAY
JULY
8
JULY
MAY
JUNE
SUNDAY
DAY
APRIL
12
APR
11
APR
JUNE
NOVEMBER
OCTOBER
HURSDAY
FRIDAY
17
DEC
5
21
DEC
SEPTEMBER
AUGUST

“是游戏室！”科林用洪亮的声音说道。

“你想象力丰富，在游戏室里表现得特别棒！

但是，请继续猜。”

本杰明举手说：“是积木角！”

“你搭的隧道和高塔棒极了！”艾波比老师表示赞许。

“不过，现在请把积木收好，本杰明。
幼儿园里最棒的并不是积木角。”

克拉拉问："是美术课和手工课吗？"

“克拉拉，你剪的东西都超级棒！
但是，这也不是正确答案哦。”

“肯定是数学课！”阿安抢着说道，
“1，2，3，4，5……”

“数得真棒！”艾波比老师说，
“但是请再猜猜看。幼儿园里最棒的那个比数学课棒多了哦！”

帕特里克问："是涂鸦墙吗？"

“你已经会写很多字了，但是这个答案也不对哟。”

艾米丽高高地举起了一本故事书。

“艾米丽，每次我说‘一——二——三，乖宝宝听故事’时，
你都表现得很棒，很专心。”

顿时教室里鸦雀无声。

艾波比老师笑了："喔，现在可不是听故事的时间。
继续我们的游戏吧。"
小朋友们又绞尽脑汁地思考起来。

“课间休息最棒！”威尔说完带着其他小朋友跑出了教室。

“威尔，你在猴架上表现得像超级明星一样棒！

但是快回来吧，我们还没猜到答案呢！”

就在这时，体育馆里响起了进行曲。

“孩子们，戴好毕业帽。我们该出发啦。”

小朋友们赶紧排队，

只有艾利克斯例外。

“我们还不知道幼儿园里最棒的是什么呢。”他抗议道。

艾波比老师微笑着说：“我待会儿就告诉你们。”

“我们毕业的日子就是今天！我们怀着骄傲走向前……”
小朋友们齐声唱道。

跟着艾波比老师敲鼓的节奏，
小朋友们跳起了舞，头上的帽子也一摇一晃的。

小朋友们一个接一个领取了自己的毕业证书。

毕业证书
毕业证书
毕业证书
毕业证书
毕业证书
咔嚓

毕业证书

毕业典礼结束了，台下响起了热烈的掌声。
艾波比老师的掌声最响。

小朋友们聚在艾波比老师身边，
齐声问道："老师，幼儿园里最棒的到底是什么呀？"

“当然是你们每一位小朋友啦！你们，我的学生们，
才是幼儿园里最棒的！”艾波比老师大声回答，
并给了他们一个大大的毕业拥抱。

谢谢您！